LE LIVRE D'OR DE
FLORENCE

LES MUSÉES - LES GALERIES - LES ÉGLISES
LES PALAIS - LES MONUMENTS

BONECHI

© Copyright
CASA EDITRICE BONECHI
Via Cairoli 18/b - 50131 Firenze - Italia

E-mail: bonechi@bonechi.it - Internet: www.bonechi.it

Imprimé en Italie par Centro Stampa Editoriale Bonechi.

Traduction: Studio Comunicare, Florence.

Crédits photographiques (tous les clichés proviennent des archives des Editions Bonechi): Gaetano Barone, Carlo Cantini, Paolo Giambone, Stefano Giusti, Italfotogieffe, Antonio Lelli, Andrea Pistolesi, Antonio Quattrone, Alessandro Saragosa, Direction du patrimoine archéologique de Toscane, Direction des monuments de Florence.

ISBN 88-7009-427-8

* * *

Panorama de Florence vu de Monte alle Croci (Giovanni Signorini, Musée de Florence d'Autrefois).

HISTORIQUE

Florence est située au pied de l'Apennin septentrional dans une vaste plaine bordée de collines, traversée par l'Arno. Le site était déjà occupé à l'époque préhistorique; à partir du VIIIe siècle av. J.-C., une population italique, liée à la civilisation villano-vienne s'installa dans la zone comprise entre l'Arno et le Mugnone, mais nous ne connaissons presque rien de ces temps reculés. En 59 av. J.-C. les Romains fondèrent une ville qui affectait la forme carrée du castrum; les actuelles via del Corso, via degli Speziali et via Strozzi suivent le tracé du decumanus maximus, tandis que le cardo était constitué par l'artère reliant aujourd'hui piazza San Giovanni, via Roma et via Calimala. Lors de la descente des barbares, Florence subit d'abord le siège des Ostrogoths, commandés par Radagaise, (405) qui dévastèrent les campagnes sans toutefois réussir à conquérir la ville protégée par les troupes de Stilicon, lequel leur infligea une lourde défaite. Le pouvoir passa ensuite aux mains des Byzantins qui occupèrent la ville en l'an 539 et les Goths s'en emparèrent en 541. Sous la domination lombarde (570), Florence réussit à maintenir une certaine autonomie; toutefois sous les Francs elle perdit une partie de ses territoires et le nombre de ses habitants diminua considérablement. Aux alentours de l'an 1000, la Ville du Lys commença à se développer; cet essor, malgré les nombreuses controverses, les guerres et les luttes intestines, se poursuivit pendant plusieurs siècles. On la ceignit d'une nouvelle muraille, on érigea de nombreux édifices civils et religieux, pendant que les arts, la littérature et le commerce prospéraient de plus en plus. En 1183, la ville s'organisa en libre commune

bien qu'ayant joui déjà, en pratique, de cette liberté. A cette époque, se manifestent les premiers affrontements entre la faction des guelfes et des gibelins; les premiers fidèles à la papauté, les seconds à l'empereur. Ces luttes ne cessèrent d'affliger la société florentine et continuèrent jusqu'en 1268.
En dépit de l'instabilité sociale et politique, la ville connut alors un grand essor dans le domaine des arts et de la littérature: ce furent les années dominées par les figures de Dante et des poètes du stil novo, par Giotto et Arnolfo di Cambio. Au XVe siècle, Florence continua de se développer; c'était une ville marchande mais aussi le nouveau foyer de la civilisation italienne et, bientôt, européenne. Plusieurs familles puissantes, les Pitti, les Frescobaldi, les Strozzi, les Albizi, se disputaient la suprématie de la ville. Parmi ces familles, les Médicis allaient bientôt se distinguer avec Cosme qu'on appellera ensuite «l'Ancien», le premier de cette dynastie qui allait gouverner la ville jusqu'à la première moitié du XVIIIe siècle. Grâce à eux, Florence devint le centre de l'Humanisme et de la Renaissance et vit s'affirmer des personnages tels Léonard de Vinci et Michel-Ange. En 1737, les Lorraine, succédant aux Médicis, continuèrent la sage administration de leurs prédécesseurs, admistration caractérisée par une politique libérale et modérée alors que la grande saison culturelle, après avoir touché à son zénith, déclinait lentement. En 1860, à l'époque du Risorgimento, la Toscane fut annexée au Royaume d'Italie à l'issue d'un plébiscite et Florence devint pendant quelques années la capitale du nouveau pays.

En regard et en haut, deux raccourcis de
la Coupole de Brunelleschi et du Dôme.

LE DÔME

LE DÔME

Dédié à Sainte-Marie-de-la-Fleur, cet édifice est le fruit de
la collaboration de nombreux artistes qui y ont travaillé
tout au long de plusieurs siècles. En 1294, la Corporation
des Arts chargea Arnolfo di Cambio d'élever une nouvelle
Cathédrale pour remplacer l'ancienne église Sainte-
Réparate. Un nouveau chantier se développa à l'intérieur
de cette église et tout autour et resta ouvert pendant des
dizaines d'années, jusqu'en 1375, sans toutefois
interrompre son activité. Les travaux du nouveau Dôme
commencèrent le 8 septembre 1296 et continuèrent avec
différents maîtres d'œuvre comme Giotto, Andrea Pisano
et Francesco Talenti. Ils prirent fin en 1375, année qui vit
la démolition de Sainte-Réparate et le remaniement d'une
partie du projet primitif d'Arnolfo. Pour la **coupole** il fallut
attendre jusqu'en 1420, date à laquelle Brunelleschi gagna
le concours pour la construction de cette énorme
structure. En 1434 tout était terminé et l'église fut
consacrée deux ans après, c'est-à-dire à 140 ans du début
de la construction. La **lanterne** de la coupole, commencée

en 1445, tut couronnée en 1461 d'une sphère dorée. La
façade, en style gothique, est du XIXᵉ siècle.

LA COUPOLE

C'est le complément de la construction du Dôme et c'est
le chef-d'œuvre de Brunelleschi qui en fit le projet et
l'édifia entre 1421 et 1434. Le grand artiste étudia la
construction de cette énorme structure aérienne sans
recours à des cintres fixes, grâce à un système d'arêtes
reliées entre elles et à des briques placées en chevron. La
voûte est double et les deux pans sont séparés par un
interstice. Elle est placée sur un tambour de 45,52 m de
diamètre et de 91 mètres de haut et est ogivale.
Brunelleschi avait fait le projet d'une voûte sans
décorations à l'intérieur. Mais Vasari et Zuccari (1572-
1579) y peignirent des fresques. Au siècle dernier et
encore récemment il a été proposé de revenir à la pureté
du revêtement blanc d'origine. La **lanterne**, dessinée elle
aussi par Brunelleschi en forme de petit temple, porte la
hauteur totale à 107 mètres.

A gauche, le Campanile de Giotto, qui fut l'auteur du plan et d'une partie de l'édifice. En regard, la façade neo-gothique de la Cathédrale.

LE CAMPANILE DE GIOTTO

La construction du campanile du Dôme est due, entre 1334 et 1359, à Giotto, maître d'œuvre et auteur du projet, à Andrea Pisano et à Francesco Talenti. C'est un clocher carré (14,45 m de côté), entièrement décoré de panneaux en losange et en hexagone (dus à Andrea Pisano, Luca della Robbia, Alberto Arnoldi et à leurs ateliers), de niches enfermant des statues et de fausses niches. Les panneaux du bas (actuellement ce sont des copies) représentent la *Vie de l'homme dans la création et dans les arts humains*; la bande supérieure est consacrée aux *Planètes*, aux *Vertus*, aux *Arts libéraux* et aux *Sacrements*. Les originaux des statues sont maintenant dans le Musée de l'Œuvre. Elles représentent des *Prophètes*, des *Sibylles* et *Saint Jean Baptiste.*

LA FAÇADE

En 1587 on démolit la façade du Dôme commencée par Arnolfo di Cambio mais jamais terminée. A partir de cette date et pendant trois siècles, se succédèrent les projets et les concours pour la nouvelle façade. En 1871 on approuva enfin le projet d'Emilio de Fabris, architecte, et les travaux prirent fin en 1887. Cette façade est bien le fruit du goût de l'époque, tourné vers l'histoire. On utilisa les mêmes types de marbres dont on s'était déjà servi pour l'édifice: le blanc de Carrare, le vert de Prato et le rose de la Maremme. Au-dessus des trois portails, des *Histoires de la Vierge* ornent les tympans et l'on voit, dans les lunettes, la *Charité*, la *Vierge avec les saints patrons de la ville* et la *Foi*. Sur le fronton du portail central se trouve une *Vierge en gloire*. Une frise avec les statues des *Apôtres* et de la *Vierge* unit les rosaces latérales à la rosace centrale; en haut, après une série de bustes d'artistes, un bas-relief représentant le *Père Eternel* orne un tympan.

En haut, l'intérieur du Dôme florentin; en bas, le Buste de Brunelleschi. En regard, en haut, le tableau de Domenico di Michelino avec Dante et la Divine Comédie; en bas, à gauche, le

Monument équestre représentant Niccolò da Uzzano peint à fresque par Andrea del Castagno et, à droite, le Monument équestre représentant Giovanni Acuto de Paolo Uccello.

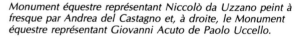

LE DÔME

L'INTÉRIEUR

Il obéit aux impératifs de l'architecture gothique italienne qui aime les larges espaces à la verticale et à l'horizontale (c'est la quatrième église du monde: 153 mètres de long, 38 de large à la hauteur des nefs et 90 à la hauteur du transept). Des piliers décorés de bandes soutiennent de grands arcs légèrement en ogive et des voûtes en ogive, imprimant un certain rythme aux nefs. Au fond, autour du *maître-autel* de Baccio Bandinelli s'ouvrent trois absides ou **tribunes**, divisées à leur tour en cinq espaces. Le *pavement*, en marbres de plusieurs couleurs (1526-1660), est de Baccio et Giuliano d'Agnolo, Francesco da Sangallo et d'autres artistes. Dans le bas-côté gauche on remarque les deux monuments équestres, peints à fresque, représentant *John Hawkwood* et *Niccolò da Tolentino*. Le premier (1436) est de Paolo Uccello; le second (1456) est d'Andrea del Castagno (il faut noter les deux interprétations différentes de ces « condottieri »: la rigueur de l'un et la vitalité de l'autre). Parmi les nombreuses œuvres d'art signalons, l'intérieur, le *Tombeau d'Antonio Orso* de Tino da Camaino (1321), la lunette avec la *Vierge couronnée* de Gaddo Gaddi; dans le bas-côté gauche l'édicule avec *Josué*, de Ciuffagni, Donatello et Nanni di Bartolo, le *buste de Squarcialupi* de Benedetto da Maiano, les tableaux représentant les *Saints Cosme et Damien* de Bicci di Lorenzo.

QVI COELVM CECINIT MEDIVMQVE IMVMQVE TRIBVNAL . LVSTRAVITQVE ANIMO CVNCTA POETA SVO . DOCTVS ADEST DANTES SVA QVEM FLORENTIA SAEPE
SENSIT CONSILIIS AC PIETATE PATREM . NIL POTVIT TANTO MORS SAEVA NOCERE POETAE . QVEM VIVVM VIRTVS CARMEN IMAGO FACIT .

En haut et à gauche deux vues de l'ancienne Cathédrale de Sainte-Réparate dans le sous-sol du Dôme; en regard, en haut, le tombeau de Brunelleschi et, en bas, les restes d'une fresque avec la Passion du Christ.

SAINTE-RÉPARATE

L'ancienne cathédrale de Florence avait été érigée au IVe-Ve siècle sur les restes d'une *domus* romaine. Elle comprenait trois nefs et une seule abside. A l'époque des guerres byzantines l'église fut détruite; elle fut reconstruite entre le VIIe et le IXe siècle; le périmètre resta le même mais on remplaça les colonnes par des piliers à cannelures et on adjoignit deux chapelles. Entre l'an 1000 et l'an 1100 on ouvrit une crypte, du côté de l'abside, servant de base à un chœur réhaussé; à l'extérieur on construisit deux clochers près de l'abside. Comme nous l'avons dit, Sainte-Marie-de-la-Fleur a été réalisée à la place de l'ancienne église dédiée à la jeune sainte martyrisée à Césarée. Le nouveau Dôme toutefois fut élevé autour de Sainte-Réparate qui fut détruite seulement en 1375 quand la nouvelle construction prit fin. En 1966, à l'occasion de travaux de restauration du pavement de la cathédrale, on découvrit les ruines de la précédente. On a donc pratiqué une ouverture, entre le premier et le deuxième pilier du Dôme, qui donne accès à un grand espace où, grâce aux travaux d'aménagement d'un architecte florentin, Guido Morozzi, on peut admirer les restes des *fresques* qui ornaient l'église, les *pierres tombales* de certains prélats et d'autorités civiles (et même la pierre qui marque le lieu de la *sépulture de Brunelleschi*) ainsi que des fragments du pavement en mosaïque et en briques.

LE BAPTISTÈRE

C'est un édifice religieux construit au IVe-Ve siècle près de la porte nord de la Florence romaine. Il est octogonal et l'abside en demi-cercle se dresse sur un podium à degrés. L'aspect actuel date du XIe-XIIIe siècle. En 1128 on couvrit le baptistère avec un toit en pyramide lisse, en 1150 on y plaça la **lanterne** à colonnes et en 1202 on termina la **tribune** rectangulaire (l'*escarcelle*). Le revêtement extérieur est en marbre blanc et vert; chaque face est divisée par des bandes en trois espaces surmontés d'un entablement et d'arcatures en plein cintre avec fenêtres. A remarquer: les trois portes en bronze et, à l'intérieur, les *mosaïques* de la coupole.

Le Baptistère Saint-Jean a trois portes en bronze: la **Porte sud** d'Andrea Pisano, avec les *Histoires de la vie de saint Jean Baptiste* et les *Allégories des Vertus;* la **Porte nord**, de Ghiberti, avec des *Histoires du Nouveau Testament,* les *Evangélistes* et les *Docteurs de l'Eglise* et la **Porte est** (ou *du Paradis*), chef-d'œuvre de Ghiberti qui, des trois, est à juste titre la plus célèbre. Elle est divisée en dix panneaux qui représentent des *Histoires de l'Ancien Testament.* C'est l'Art des Marchands qui passa la commande au Maître en 1425. Michel-Ange l'appela Porte du Paradis en raison de la perfection du travail. Des statuettes de personnages de la Bible et des *portraits d'artistes* contemporains de Ghiberti ornent l'encadrement des panneaux.

En regard et dans cette page, quelques vues du Baptistère Saint-Jean.

LA PORTE DU PARADIS

Actuellement la Porte du Paradis est en cours de restauration; celle que nous voyons aujourd'hui en est la copie exacte. Les photos que nous publions représentent l'originale dans toute sa splendeur avant que les agents atmosphériques polluant ne la recouvre d'une patine noire. La Porte actuelle est brillante et nous pouvons penser qu'elle se présentait ainsi quand elle fut installée en 1425 sur le Baptistère. Dans quelques temps elle sera probablement recouverte, elle-aussi, de cette même patine alors que l'originale est à l'abris au Musée de l'Œuvre.

Les têtes de Ghiberti et de son fils Vittorio.

Ivresse de Noé.

La Creazione di Adamo.

L'Uccisione di Abele.

Une sibylle et un personnage biblique.   *Histoires d'Isaac ed d'Esaü.*   *Histoires de Joseph et de Benjamin.*

LE BAPTISTÈRE

L'INTÉRIEUR

L'intérieur du Baptistère est caractérisé par deux ordres superposés, l'ordre inférieur présentant des colonnes et l'ordre supérieur avec des pilastres encadrant des fenêtres geminées; les parois sont recouvertes d'incrustations de marbre aux formes géométriques rappellant celles du pavement. Parmi les œuvres présentes mentionnons le *Tombeau de l'antipape Jean XXIII*, conçu par Michelozzo et Donatello, ce dernier ayant sculpté le gisant, deux *sarcophages romains* et le *sarcophage de l'évêque Rainier*. Sur la **Tribune**, on admire de remarquables mosaïques du XIIIᵉ siècle exécutées à la même époque que celles de la grande coupole; à partir du *Christ en gloire* de Coppo di Marcovaldo se déroulent six rangées d'épisodes figurant, à partir du bas, les *Histoires de saint Jean Baptiste*, de la *Vie du Christ*, de *Joseph*, de la *Genèse*, des *Hiérarchies célestes avec le Christ et des séraphins* et, tout en haut, des motifs ornementaux.

En regard, la Porte sud du Baptistère, d'Andrea Pisano avec les Histoires de la vie de saint Jean Baptiste; en haut, l'intérieur du Baptistère et, à droite, le Tombeau de l'Antipape Jean XXIII conçu par Michelozzo et Donatello.

Dans les deux pages suivantes, à gauche un raccourci de la coupole intérieure du Baptistère avec l'arc en mosaïque de l'escarcelle; à droite l'octogone de la coupole entièrement revêtu d'ornements en mosaïque.

En haut, à gauche, la Vierge à l'Enfant de Arnolfo di Cambio, entre Sainte-Réparate, de Arnolfo di Cambio et S. Zanobi, d'aides, à l'intérieur du Musée de l'Œuvre du Dôme. A droite, la statue de Boniface VIII de Arnolfo di Cambio.

Dans la page en regard, en haut, la Cantoria de Donatello; en bas, la Madeleine de Donatello entre deux prophètes placés originairement dans le Campanile de Giotto; celui à gauche, Habacuc, est dit vulgairement « Lo Zuccone ».

LE MUSÉE DE L'ŒUVRE DU DÔME

Il se trouve derrière l'abside de la Cathédrale et abrite des œuvres d'art provenant du Dôme, du Campanile et du Baptistère. Un *buste de Cosme I*ᵉʳ, de Bandini, a été placé au-dessus de l'entrée. A l'intérieur on peut voir des sculptures romanes, des statues et des restes de l'ancienne façade du Dôme et du Baptistère. Au rez-de-chaussée sont exposées diverses statues: *Boniface VIII bénissant,* une *Vierge à l'Enfant* et la *Vierge de la Nativité* d'Arnolfo di Cambio, le fameux *Saint Luc,* de Nanni di Banco. Dans la pièce voisine on peut admirer des *livres,* des *manuscrits enluminés* et des *reliquaires.* Au premier étage la *Cantoria* (tribune) de Luca della Robbia (1431-1438), aux bas-reliefs se rapportant au *psaume joyeux du Roi David,* fait face à la *Cantoria* de Donatello (1433-1439), dont la structure sévère rappelle les modèles de l'antiquité classique. Ferdinand de Médicis fit ôter du Dôme ces deux chefs-d'œuvre en marbre, en 1686. On a placé dans cette salle les statues qui ornaient le Campanile, dont celles du prophète *Habacuc,* dit le « Zuccone » (grosse tête) et du prophète *Jérémie,* œuvres de Donatello, et celles d'*Abraham* et d'*Isaac,* de Nanni di Bartolo. Dans la salle de gauche sont abrités les *panneaux* originaux du Campanile de Giotto. Leur disposition sur deux rangées est celle qu'ils avaient sur le monument. En bas se trouvent les œuvres d'Andrea Pisano, les plus célèbres: la

Création d'Adam, la *Création d'Eve* et le *Labour.* Les autres, qui représentent les *Sacrements* sont d'Alberto Arnoldi ou sortent de l'atelier de Pisano. Dans la salle de droite on peut voir le *Devant d'autel de saint Jean-Baptiste* réalisé en équipe par Michelozzo, Verrocchio, Antonio del Pollaiolo et Bernardo Cennini. Il est flanqué des statues de l'Annonciation avec la *Vierge* et l'*Archange Gabriel,* attribuées à Jacopo della Quercia. Au fond de la salle l'*autel du Baptistère,* en argent avec dorures et émaux, est un magnifique exemple d'orfèvrerie gothique mais il a été achevé à l'époque de la Renaissance. Outre la célèbre *Déposition* de Michel-Ange, on admirera ici un dyptique remarquable d'école byzantine de la fin du XIIIᵉ siècle représentant des *Histoires du Christ et de la Vierge* et surtout, en descendant l'escalier du musée, la *Marie-Madeleine* de Donatello, statue en bois très puissante. Il a su y fondre son sens du réalisme et sa participation sentie et semble l'avoir sculptée avec fièvre. Cette œuvre appartient à la dernière époque florentine de Donatello (on la date entre 1435 et 1455) et une restauration a permis de mieux la comprendre. Revenus au rez-de-chaussée on passe dans la salle où sont exposées les sculptures sauvées de la démolition de la première façade de la cathédrale (1587). On y voit aussi un *dessin* de la deuxième moitié du XVIᵉ siècle, qui nous montre l'ancienne façade du Dôme et la place qu'occupaient les statues et les décorations architecturales.

LE MUSÉE DE L'ŒUVRE DU DÔME

LA « PIETÀ » DE MICHEL-ANGE
Cette sculpture était anciennement placée dans la cathédrale. Elle a été éxécutée entre 1550 et 1553 et le personnage central serait un autoportrait de l'artiste. Michel-Ange la destinait à une chapelle de l'église Sainte-Marie-Majeure, à Rome. Au contraire, elle resta dans les souterrains de l'église San Lorenzo jusqu'en 1722, date à laquelle elle fut transférée dans la cathédrale. C'est probablement l'une des sculptures les plus dramatiques de Michel-Ange qui a utilisé ici sa technique de l'ébauche (le fameux *non fini* de Michel-Ange). L'un de ses élèves, Tiberio Calcagni, a restauré le bras gauche du Christ et la statue de Marie-Madeleine.

A gauche, une maquette en bois d'un plan pour la façade du Dôme; en bas, à gauche, quelques panneaux hexagonaux et rhomboïdaux provenant du Campanile de Giotto; en regard, la « Pietà » de Michel-Ange.

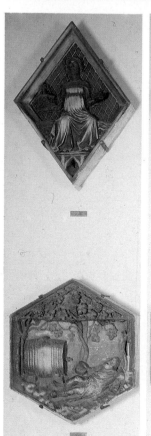  

LA PLACE DE LA SEIGNEURIE

Elle compte parmi les plus belles places d'Italie avec ses beaux monuments qui l'entourent. Ouverte entre le XIIIe et le XIVe siècle, elle occupe l'emplacement des maisons des Uberti, des Foraboschi rasées au sol en même temps que celles d'autres familles gibelines. Par la suite on procéda à son élargissement. La façade et le côté nord de l'imposant **Palazzo Vecchio** dominent la place; à droite du palais, se dresse la **Loggia des Lansquenets**, en style gothique tardif, érigée par Benci di Cione et Simone Talenti (1376-1382) et animée par une série de remarquables sculptures dont le célèbre *Persée* de Cellini (1554) et *Hercule et le Centaure* de Jean de Boulogne. Sur la gauche se trouve la *Fontaine de Neptune* ornée de statues, œuvre de Bartolomeo Ammannati et de ses assistants (1563-1575). Les Florentins, à cause de l'énorme masse blanche de la statue du dieu marin, trônant au milieu de la vasque sur un char tiré par des chevaux marins, lui affublèrent le sobriquet de *Biancone*, qui désigne encore aujourd'hui cet ensemble monumental. Il faut remarquer en particulier les admirables figures en bronze au bord de la vasque. Le *Monument équestre de Cosme Ier* dû à Jean de Boulogne (1594) se dresse près de la fontaine. La place est encadrée par une série d'anciens palais aux façades sobres.

LA LOGGIA DES LANZI

La Loggia de la Seigneurie, dite de l'Orcagna (qui serait l'auteur du dessin) ou des Lanzi (en souvenir des lansquenets, mercenaires à la solde du grand-duc Cosme Ier) a été édifiée par Benci di Cione et Simone Talenti (1376-1382) pour les assemblées publiques de la Seigneurie. Elle comprend de grandes arcades en plein cintre s'appuyant sur des piliers fasciculés mais s'étend aussi en largeur. Les beaux panneaux apposés sur les piliers représentent des allégories des *Vertus* sculptées entre 1384 et 1389 d'après des dessins d'Agnolo Gaddi. Deux lions flanquent l'escalier: l'un est classique, l'autre est de Flaminio Vacca (1600). La loggia abrite des sculptures de valeur: à gauche le célèbre *Persée* de Cellini (1553), à droite l'*Enlèvement des Sabines* de Jean de Boulogne (1583) (transporté depuis peu à la Galerie de l'Académie), au centre *Hercule et le Centaure,* toujours de Jean de Boulogne (1599), *Ajax soutenant le cadavre de Patrocle,* groupe d'un atelier hellénistique réintégré, et l'*Enlèvement de Polyxène* de Pio Fedi (1866). Près du mur du fond ont été placées six *statues de femmes* d'époque romaine.

LE PERSÉE

Ce splendide et célèbre chef-d'œuvre en bronze de Benvenuto Cellini (1500-1571) a été signé par l'artiste, sur la sangle que le héros porte en bandoulière, entre 1545 et 1554. Le libérateur d'Andromède est cueilli au moment où il vient de couper la tête de Méduse: son visage et toute sa personne nous laissent entrevoir l'idéal classique de la puissance contenue: le drame est terminé et la gravité du geste (le pied du héros posé sur le corps du monstre) en suggère l'achèvement. D'après la tradition, on pourrait découvrir un autoportrait de l'artiste dans l'enchevêtrement de la décoration du casque ailé de Persée. Au niveau du piédestal, où la finesse de l'exécution et l'élaboration de l'ornement mettent en valeur l'habilité de Cellini comme orfèvre, on peut voir une copie d'un bas-relief, *Persée qui libère Andromède,* dont l'original est au Musée du Bargello.

Dans la page en regard, deux vues de l'extérieur et de l'intérieur de la Loggia des Lanzi; à droite, le Persée en bronze de Cellini.

COSME Ier DE MEDICIS GRAND-DUC DE TOSCANE

La statue équestre que nous voyons sur la place représente Cosme Ier et elle est de Jean de Boulogne qui la réalisa en 1594. La grande originalité de cette œuvre réside dans la fierté du seigneur de Florence et dans la puissance de son cheval, admirablement rendues. Les bas-reliefs du piédestal célèbrent le premier grand-duc de Toscane à travers les scènes de l'*Entrée de Cosme I*^{er} *à Sienne*, de *Pie V donnant les enseignes de grand-duc à Cosme* et du *Sénat toscan donnant à Cosme le titre de grand-duc*. La statue est située à brève distance du Palazzo Vecchio, l'édifice que Cosme Ier alla habiter en 1537, lorsqu'il avait à peine dix-sept ans, après l'assassinat d'Alexandre par Lorenzo de Médicis. Avant lui, la famille de Médicis avait pendant longtemps dirigé Florence, prenant parti pour le peuple dans sa lutte contre les confréries.

LE PALAZZO VECCHIO

Il a été conçu comme un palais-forteresse destiné à la résidence des Prieurs. C'est Arnolfo di Cambio qui a fait le plan de ce grand bloc carré couronné de créneaux. Il est caractérisé par sa *Tour* puissante et élancée, construite en 1310, haute de 94 m, qui s'appuie sur une galerie. Un bossage rustique constitue le revêtement en pierre de cet édifice, à trois étages, percé de fenêtres géminées inscrites dans des arcatures en plein cintre. De l'ensemble se dégage un sens d'austérité, plein de suggestion. Le noyau original du projet d'Arnolfo subit des modifications et des adjonctions entre 1343 et 1592, tant à l'intérieur qu'à l'extérieur. Vasari, Cronaca et Buontalenti en furent les artisans. Sur la façade, sous les arcatures de la galerie, on remarque les neuf *armoiries* principales de la ville, peintes à fresque. L'horloge a un mécanisme qui date de 1667. De chaque côté de la porte se dressent des statues porte-chaînes en marbre et, au-dessus, l'inscription dictée par Cosme Ier en 1551. Au pied du palais, du côté gauche, se trouve la *Fontaine de Neptune*, œuvre grandiose d'Ammannati.

A gauche, la statue équestre de Cosme Ier *de Médicis; en regard, la masse de Palazzo Vecchio.*

En regard, en haut, le groupe d'Hercule et Cacus; en bas, à gauche, la Cour de Michelozzo avec le Petit Génie de Verrocchio et, à droite, la réplique du David de Michel-Ange.

En haut, l'intérieur de l'asymétrique Salon des Cinq-Cents, richement décoré de peintures et de sculptures.

LE PALAZZO VECCHIO

LA FAÇADE

Devant la façade du Palazzo Vecchio se trouve une brève esplanade où sont rassemblées quelques sculptures dont la copie du *David* de Michel-Ange, placée à cet endroit en 1873 à la place de l'original, et le groupe d'*Hercule et Cacus* de Bandinelli. Sur la façade, au-dessus du portail, se trouve un médaillon avec le monogramme du Christ flanqué de lions sur champ d'azur et surmonté d'une corniche en triangle. L'inscription « *Rex regum et Dominus dominantium* » fut placée en 1551 sur ordre de Cosme I er en remplacement d'une épigraphe précédente.

LE PALAZZO VECCHIO

L'INTÉRIEUR

On traverse la **Cour de Michelozzo,** aux belles colonnes ornées de stucs dorés et couvertes de fresques par Vasari, laissant la *Fontaine du Petit Génie* de Verrocchio, placée au centre. Par de grands escaliers (de Vasari) on arrive au **Salon des Cinq-Cents,** vraiment imposant, et au **Cabinet de François I er,** créé par Vasari, couvert de peintures de Bronzino, Santi di Tito et Stradano, abritant aussi des

statues en bronze de Jean de Boulogne et d'Ammannati. Du Salon on peut se rendre dans les **Appartements monumentaux,** un ensemble de pièces riches en peintures et en fresques dont une, appelée **Salle de Léon X,** est actuellement le bureau du Maire. La **Salle de Clément VII** est celle où Vasari a peint son fameux *Siège de Florence* qui nous présente un panorama minutieux de la ville au XVIe siècle. Remarquons la **Salle de Jean des Bandes Noires,** la **Salle de Cosme l'Ancien** et celles de **Laurent le Magnifique** et de **Cosme I er.**

LE SALON DES CINQ-CENTS

Le Salon des Cinq-Cents était le lieu des assemblées du Conseil Général du Peuple après la deuxième expulsion des Médicis de Florence. C'est Cronaca qui est l'auteur du projet; Vasari se vit confier la direction des travaux de décoration. Au plafond et sur les murs, des peintures allégoriques nous racontent le *Retour triomphal du Grand-Duc Cosme I er à Florence,* les *Histoires de la conquête de Pise et de Sienne* et illustrent les possessions du *Duché des Médicis.* Parmi les statues en marbre on remarque, au mur de droite, le *Génie qui abat la force brutale,* de Michel-Ange.

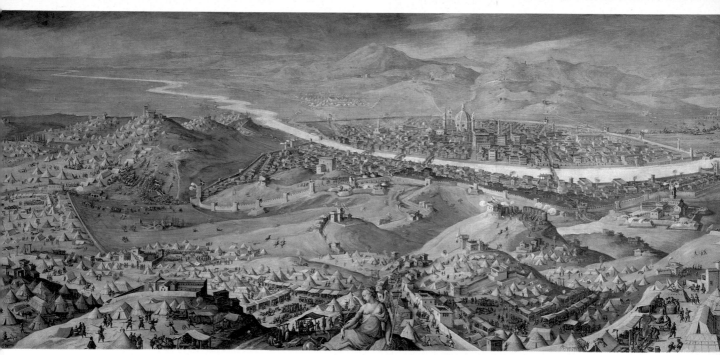

Dans la page en regard, en haut à gauche, le Génie qui abat la Force Brutale de Michel-Ange; à droite l'Hercule et Diomède de Vincenzo de' Rossi; en bas, la fresque avec le siège de Florence de Vasari dans la Salle de Clément VII.

En haut, à gauche, le plafond à caissons du Salon des Cinq-Cents; à droite, le Cabinet de travail de François Ier; en bas, la peinture avec Jean de Médicis au secours de Ravenne, œuvre de Vasari dans la Salle de Léon X.

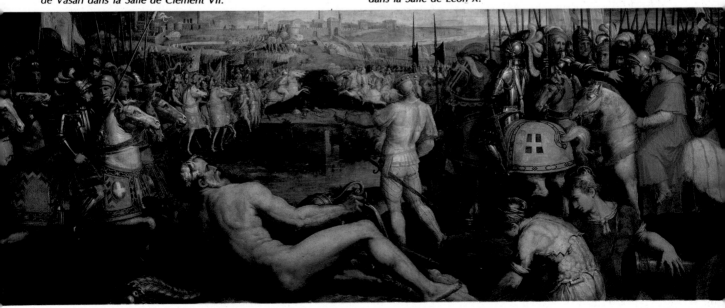

Ci-dessus à droite, l'original du Putto au poisson de Verrocchio. A gauche, la Chambre Verte dans les Appartements d'Eléonore de Tolède; en bas à droite, la Judith de Donatello; à gauche, la Chapelle des Prieurs.

LA SALLE DES LYS

Dans les Appartements monumentaux on remarquera l'**Appartement d'Eléonore de Tolède** de Vasari et la **Salle de l'Audience** mais surtout la **Salle des Lys**, ainsi appelée à cause de sa décoration en fleurs de lys sur champ d'azur. Le *plafond* est de Giovanni da Maiano et de Francione. A noter aussi le *portail* en marbre qui donne accès à la *Salle de l'Audience.* Sur le mur de droite, Ghirlandaio a peint une grande *fresque.*

JUDITH: UNE ŒUVRE RESTAUREE

Le plus grand chef-d'œuvre de Donatello, figurant Judith, situé pendant plusieurs siècles sur la Place de la Seigneurie, a fait l'objet d'une restauration magistrale à l'Atelier des Pierres Dures, les travaux ayant duré deux ans. Enlevée de son emplacement originaire en 1980, cette sculpture en bronze fut abritée dans la Salle des Audiences du Palazzo Vecchio et en 1986 elle fut soumise à une intervention de restauration. Pour des mesures de protection, elle est présentée de nouveau à l'admiration des visiteurs dans la Salle des Lys du palais.

*En haut, l'intérieur de la Salle des Lys, et à droite,
la Judith de Donatello.*

En haut, l'édifice du Bargello avec la tour de la Volognana qui s'oppose au Campanile de Badia. En regard, deux images de la cour avec la loggia du Bargello.

LE PALAIS DU BARGELLO

Le Palais du Bargello a l'aspect d'une forteresse avec sa tour à créneaux, vraiment imposante, qui surplombe la façade austère. Il a été érigé en 1255 comme siège du Capitaine du Peuple. Successivement les Podestats et le Conseil de Justice s'y installèrent. C'est à partir de 1574 que le palais devint le siège du Bargello (Capitaine de Justice c'est-à-dire chef de la police). La façade est ornée de corniches; en bas les fenêtres ont des linteaux, au-dessus elles sont simples ou géminées. Au sommet de l'édifice de petits arcs et des consoles soutiennent le mur crénelé en saillie. A l'intérieur, l'édifice entoure une **Cour**, avec portiques sur trois côtés, piliers et arcades. Un **Escalier découvert**, de Neri di Fioravante (XIVe siècle) mène à la **Loggia** supérieure, œuvre de Tone di Giovanni (1319). Des dizaines d'*armoiries* des Podestats et des Juges de la Rote sont apposés sur les murs de la Cour. Depuis 1859 ce palais est le siège du **Musée National**, l'un des plus importants du monde, qui abrite des sculptures de la Renaissance et des chefs-d'œuvre d'arts mineurs d'époques différentes.

LE MUSÉE NATIONAL DU BARGELLO

L'immense **Salle d'entrée** avec piliers qui soutiennent des voûtes solides a des décorations héraldiques le long des murs avec les armes des podestats (XIIe-XIVe siècle). De là on passe dans la **Cour** qui s'ouvre comme une scène de théâtre. Elle est irrégulière et originale. On y voit les armes de nombreux podestats et, sous le portique, les enseignes pittoresques des quartiers et des « sestieri » qui divisaient la ville. Plusieurs *statues* se trouvent le long des murs. Elles sont de Bandinelli, Ammannati, Jean de Boulogne et Danti (XVIe siècle). De la cour on entre dans une salle où ont été rassemblées des sculptures du XIVe siècle parmi lesquelles figurent la *Vierge à l'Enfant avec ange* de Tino da Camaino, une *Vierge à l'Enfant* d'art vénitien, un *socle de bénitier* de Nicola Pisano et une *Vierge entre saint Pierre et saint Paul* de Giovanni Pisano. Dans la Salle située sous l'escalier découvert on peut admirer d'importantes œuvres de Michel-Ange: *Bacchus*, œuvre de jeunesse (1476), où la force s'unit à la sveltesse, le grand *Tondo Pitti* avec la Vierge qui apprend à lire à l'Enfant et au petit saint Jean, *David* (peut-être un Apollon) (1530) et *Brutus* (1540). Tout autour on trouve des œuvres

En haut, la Salle de l'étage inférieur du Bargello avec la collection de sculptures de la Renaissance; à gauche, le Buste de Cosme Ier de Cellini. En regard, en haut, la Léda au cygne d'Ammannati; en bas, à gauche, un buste en marbre de Cosme Ier œuvre de Baccio Bandinelli et, à droite, le Brutus de Michel-Ange.

d'Ammannati de Jean de Boulogne, parmi lesquelles le *Mercure* (1564), de Tribolo, de Danti, de Francavilla et de Sansovino qui, se mesurant avec Michel-Ange, sculpta lui aussi un *Bacchus*. Dans cette pièce a été placé un buste en bronze de Cosme, de Cellini, destiné au port de Portoferraio, dans l'île d'Elbe et revenu à Florence en 1781. Par l'escalier découvert on monte à la **Loggia**, ornée de nombreuses œuvres d'artistes du XVIe siècle.
La première pièce à droite, jadis réservée au Conseil Général est maintenant le **Salon de Donatello**. Parmi ses sculptures on voit ici *Saint Georges* d'où émane l'énergie et la mesure. Il était destiné à une niche d'Orsanmichele. Près de lui, le *Petit saint Jean,* grêle et mystique, *David* en marbre (1408) et *David* en bronze, premier nu de la Renaissance, très élégant, qui date des environs de 1430. Sont également de Donatello le *Marzocco* (lion de pierre), devenu symbole de la ville, *Cupidon-Attis* en bronze, très vivant et très classique. Dans cette salle sont rassemblés également des Luca Della Robbia, des Ghiberti, des Vecchietta et des Agostino di Duccio. On remarquera les *panneaux* que Ghiberti et Brunelleschi ont sculptés lors du concours de 1402 concernant la deuxième porte du Baptistère de Florence (il y eut 6 participants). Ghiberti réussit à nous présenter toute l'histoire du *Sacrifice d'Abraham* tandis que Brunelleschi, malgré l'articulation qu'il a su donner à son travail, juxtapose les différentes parties. Du Salon on peut passer aux **Collections d'arts mineurs**, dont la majeure partie proviennent de la donation Carrand. La **Salle du Podestat** contient des objets

En haut, à gauche, le Tondo Pitti de Michel-Ange; à droite, le Buste de Michel-Ange, œuvre de Daniele da Volterra. En bas à gauche, le David-Apollon de Michel-Ange. En regard, en haut et à gauche, le Bacchus de Sansovino, réalisé en competition avec le Bacchus de Michel-Ange (à droite). En bas, à gauche, la maquette du Persée de Cellini et, à droite, le Mercure de Jean de Boulogne.

d'*orfèvrerie*, des *émaux* et divers objets en métal.
La **Chapelle du Podestat**, où les condamnés à mort passaient leurs dernières heures, est ornée de fresques de l'école de Giotto: le *Paradis*, l'*Enfer* et des *Histoires des saints*. A cet étage s'ouvrent également la **Salle des Ivoires** qui présente des pièces rares antiques, la **Salle de l'Orfèvrerie**, où l'art sacré est à la première place, et la **Salle des Majoliques**. Au deuxième étage, d'autres salles sont réservées à de grands artistes; la première dite **Salle de Giovanni Della Robbia** contient, entre autres, la prédelle avec *Jésus et des saints*, *Saint Dominique*, une *Pietà* et une *Annonciation*. La Salle suivante consacrée à **Andrea Della Robbia** nous montre la *Vierge des architectes* et d'autres œuvres en terre cuite emaillée. Dans la **Salle de Verrocchio** on peut admirer la *Résurrection*, le *Buste de jeune femme*, une *Vierge à l'Enfant*, un *David* en bronze et d'autres œuvres de ce maître ainsi que des sculptures de Mino da Fiesole et *Hercule et Antée* de Pollaiolo, où les deux nus en lutte sont animés de violentes vibrations. Dans la **Salle des petits bronzes** on trouve, parmi de nombreuses sculptures, la *cheminée de la Maison Borgherini* de Benedetto da Rovezzano. La **Salle d'Armes** abrite des armures allant du Moyen Age au XVIIᵉ siècle. La **Salle de la Tour** contient des tapisseries. Une Collection de **Médailles des Médicis** présente des œuvres de Pisanello, Cellini, Michelozzo et autres artistes.

En regard, deux vues de la grandiose Eglise Santa Croce;
en haut, l'intérieur de l'église et, à droite, la chaire de
Benedetto da Maiano.

L'EGLISE SANTA CROCE

C'est un monument unique, non seulement à cause de la
pureté de son style gothique mais aussi en raison des
célèbres œuvres d'art conservées et de son importance
historique. C'est Arnolfo di Cambio qui aurait commencé
la construction de cette basilique, l'une des plus grandes
églises de la ville, en 1294. Les travaux ne prirent pas fin
avant la moitié du XVe siècle; la consécration remonte à
1443. La façade à trois pointes est du XIXe siècle (plan de
N. Matas) ainsi que le **Clocher** imitant le style gothique
(1847, plan de G. Baccani). Sur le côté gauche, un
portique aux arcades légères abrite le *Tombeau de
Francesco Pazzi*. Sur le côté droit s'ouvrent les **Cloîtres**,
avec au fond la **Chapelle Pazzi** et le **Musée de l'Œuvre
de Santa Croce**.
Les trois nefs, vraiment grandioses, sont séparées par
d'agiles piliers octogonaux sur lesquels s'appuient les
arcades ogivales avec double encadrement. Des
remaniements, au XVIe siècle, ont altéré la beauté de cet
édifice. Le toit est en chevrons. Le pavement est couvert
d'anciennes pierres tombales jusqu'au fond des nefs. Le
transept comprend plusieurs chapelles dont la **Chapelle
centrale** où Agnolo Gaddi a peint la *Légende de la Croix
(1380). Le polyptyque sur l'autel représentant la Vierge et
des saints est de Gerini. Le Crucifix placé au-dessus sort
de l'atelier de Giotto. Sur le mur intérieur de la façade il

GALILAEVS GALILEIVS PATRIC. FLOR.
GEOMETRIAE ASTRONOMIAE PHILOSOPHIAE MAXIMVS RESTITVTOR
NVLLI AETATIS SVAE COMPARANDVS
HIC BENE QVIESCAT
VIX. A. LXXVIII. OBIIT. A. CIƆ IƆ C XXXXI
CVRANTIBVS AETERNVM PATRIAE DECVS
XVIRIS PATRICIIS SACRAE HVIVS AEDIS PRAEFECTIS
MONIMENTVM A VINCENTIO VIVIANO MAGISTRI CINERI SVIQVE SIMVL
TESTAMENTO E I.
HERES IO. BAPT. CLEMENS NELLIVS IO. BAPT. SENATORIS F.
LVBENTI ANIMO ABSOLVIT.
AN. CIƆ IƆ CCXXXVII.

Dans la page en regard, en haut à gauche, le monument funéraire à Michel-Ange; à droite le Monument funéraire à Galilée. En bas, le Tabernacle de l'Annonciation avec un détail de l'Ange de Donatello. Dans cette page, en haut, à gauche, le Monument funéraire à Alfieri et, à droite, celui à Machiavel. En bas, le Monument funéraire à Dante Alighieri.

faut admirer un vitrail qui représente une *Descente de Croix* (carton de Lorenzo Ghiberti). En bas, à droite, se trouve le *Monument à Gino Capponi* (1876) et, à gauche, le *Monument à G. B. Niccolini* (1883). Dans la nef centrale on peut voir une *chaire* splendide, en marbre, de Benedetto da Maiano (1472-1476). Au premier autel, à droite, il faut remarquer un *Crucifiement* de Santi di Tito (1579); sur le premier pilier se trouve la fameuse *Vierge allaitant,* bas-relief de Rossellino (1478). Les *vitraux* sont de la fin du XIVe siècle. Dans le bas-côté droit, le long du mur, ont été placés les *monuments funéraires* les plus célèbres, dont ceux de *Michel-Ange,* par Vasari (1579); d'*Alfieri,* par Canova (1803); de *Machiavel,* par I. Spinazzi (1787). Derrière le quatrième autel on entrevoit des restes de fresques d'Orcagna; on peut ensuite admirer une belle fresque de Domenico Veneziano (1450) qui représente *Saint Jean Baptiste et Saint François.* Vient ensuite un tabernacle en pierre grise de Donatello et Michelozzo avec l'*Annonciation* de Donatello (1435), le *tombeau de Leonardo Bruni* de Bernardo Rossellino, le monument funéraire de Rossini et celui de Foscolo. Dans le bras droit du transept la **Chapelle Castellani** est ornée de merveilleuses fresques d'Agnolo Gaddi (1385) qui représentent des *Histoires de saints.* Le *Crucifix* sur l'autel est de Gerini.

Page ci-contre, le chœur de Santa Croce. dans cette page, en haut, la fresque de Giotto représentant les Obsèques de Saint François, dans la Chapelle Bardi. A gauche, vue de la chapelle avec un tableau figurant Saint François (peintre anonyme du XIIIe s.).

Au fond du transept s'ouvre la **Chapelle Baroncelli** qui abrite le magnifique *tombeau* gothique de cette famille et une lunette avec une *Vierge* de Taddeo Gaddi. Cet artiste est également l'auteur des fresques qui ornent les murs et qui ont trait aux *Histoires de la Vierge.* On voit ici également la *Vierge à la ceinture* de Bastiano Mainardi (1490). Le *Couronnement de la Vierge,* au-dessus de l'autel, est de Giotto. Par le *portail* de Michelozzo on entre dans la **Sacristie** où Giovanni da Milano a peint les *Histoires de Marie-Madeleine et de la Vierge* dans la **Chapelle Rinuccini**. Le *retable* est de Giovanni del Biondo (1379). Au fond se trouve la **Chapelle Médicis**, bâtie par Michelozzo, sur ordre de Cosme l'Ancien. On peut y voir un merveilleux *bas-relief* à la manière de Donatello et des œuvres des Della Robbia.

Plusieurs chapelles s'ouvrent dans la partie centrale du transept (XVIᵉ siècle) qui contiennent toutes des œuvres importantes. Dans la **Chapelle Velluti**, les *Histoires de Saint Michel Archange* seraient de Cimabue; les *Histoires de Saint Jean l'Evangéliste* (1320) et les *Histoires de Saint François (1318),* dans la **Chapelle Peruzzi** et dans la **Chapelle Bardi** sont de Giotto; encore de Giotto l'*Assomption* de la **Chapelle Tosinghi** et de Bernardo Daddi les fresques de la **Chapelle Pulci**.

Dans le bas-côté gauche, il faut remarquer le *Tombeau de Marsuppini* de Desiderio da Settignano.

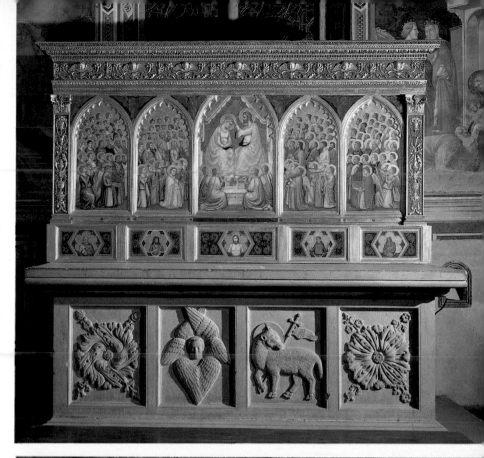

Dans la page en regard, la Chapelle Baroncelli; dans cette page, en haut à droite, le tableau de Giotto avec le Couronnement de la Vierge, dans la même chapelle; en bas la Chapelle Castellani avec le Crucifix de Niccolò di Pietro Gerini.

En haut, la Sacristie avec la Chapelle Rinuccini; en bas, la Chapelle des Pazzi.

LA CHAPELLE DES PAZZI ET LE MUSÉE DE SANTA CROCE

Au fond du **Premier cloître** de la Basilique se dresse la **Chapelle des Pazzi**, réalisation due au génie de Brunelleschi qui commença les travaux en 1443. La décoration est de Desiderio da Settignano, Luca Della Robbia et Giuliano da Maiano. Un pronaos sur colonnes corinthiennes précède la chapelle. La petite coupole hémisphérique, avec toit conique et lanterne ronde, a été terminée en 1461. L'intérieur est un exemple précieux d'harmonie dans le style de la Renaissance avec ses murs blancs rythmés par des bandes d'ornement grises, en pierre. Sur le côté droit du **Cloître**, dans l'ancien **Réfectoire**, on a installé le **Musée de l'Œuvre de Santa Croce**.

En haut, le Réfectoire de Santa Croce; en bas, à gauche, le Crucifix de Cimabue et, à droite, un tabernacle de Della Robbia dans le Musée Santa Croce.

SANT E PATER· BARTOL OMEE · ORA·P.R.ONOBIS·

LES OFFICES

Les Offices sont le plus important des musées d'Italie et l'un des plus connus au monde. On y trouve un panorama complet des différentes écoles de la peinture florentine, représentée par des œuvres importantes et par d'authentiques chefs-d'œuvre. Dans les collections figurent aussi des tableaux des écoles italiennes (de Venise en particulier), un noyau précieux de toiles flamandes et la fameuse série des autoportraits. Il faut signaler également un grand nombre de sculptures anciennes et une belle collection de tapisseries. Ce sont les Médicis qui demandèrent à Vasari de construire les Offices qui devaient être le siège de bureaux administratifs et de services de justice (d'où leur nom). Les travaux commencèrent en 1560 et prirent fin vingt ans plus tard. Les deux corps de bâtiment sont édifiés sur des arcades et sont reliés à une extrémité par un autre corps de bâtiment, dont les belles arcades donnant sur l'Arno. Sur les côtés de la cour centrale des piliers solides présentent des niches où ont été placées des statues, du XIXe siècle, figurant des *personnages toscans* illustres. Les murs de l'étage supérieur sont percés de fenêtres. Au deuxième étage s'ouvre un parcours sous loggia. Le Musée est installé au deuxième étage. Dans cet édifice se trouve également le siège des **Archives de l'Etat** qui conservent des documents très rares concernant l'histoire de la ville. Au rez-de-chaussée il faut remarquer les vestiges d'une

Page ci-contre, en haut, l'aile des Offices donnant sur l'Arno. En bas, la cour des Offices.

En haut à gauche, la Madone de Santa Trinita de Cimabue; à droite, la Madone d'Ognissanti de Giotto. En bas, le Rédempteur entouré de quatre saints de Meliore di Jacopo.

En haut, le polyptyque de San Pancrace
de Bernardo Daddi. A gauche,
l'Annonciation de Simone Martini.

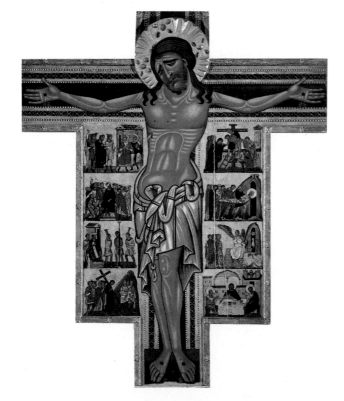

En haut à gauche, la Vierge à l'Enfant en majesté de Pietro Lorenzetti. A droite, la Présentation au temple d'Ambrogio Lorenzetti. A gauche, le Crucifix avec des épisodes de la Passion du Maître de San Francesco Bardi.

église romane, **San Piero a Scheraggio**, découverts et restaurés en 1971, qui renferment des fresques d'Andrea del Castagno. Au premier étage, le **Cabinet des Dessins et des Estampes** abrite une vaste collection, commencée au XVIIᵉ siècle par le cardinal Léopold de Médicis. Le Musée est un bien public depuis 1737, date à laquelle la dernière descendante des Médicis, Anne Marie Ludovique, en fit don.

En haut, l'Annonciation de
Leonardo de Vinci. A gauche,
l'Adoration des bergers de
Lorenzo di Credi.

En haut, les portraits du duc et de la duchesse d'Urbin de Piero della Francesca. A droite, la Vierge à l'Enfant avec des saints de Ghirlandaio.

En haut, la Vierge du Magnificat de Botticelli. Ci-contre, en haut,
le Printemps et en bas la Naissance de Vénus de Botticelli.

En haut, le triptyque Portinari de
Hugo van der Goes. A gauche,
l'Adoration des Mages de Gentile da
Fabriano.

En haut, la Sainte Famille, ou Tondo Doni, de Michel-Ange.

En haut à gauche, Cosme l'Ancien de
Pontormo. A droite, la Vierge à l'Enfant
de Giulio Romano. A gauche, le Massacre
des Innocents de Daniele da Volterra. Ci-
contre, en haut, Vénus et Cupidon
d'Alessandro Allori. En bas, Marie
Henriette de France de Jean-Marc Nattier.

En haut, le côté du Ponte Vecchio qui regarde l'aval de l'Arno; à gauche, le Buste de Cellini au milieu du pont. En regard, en haut, l'autre côté du pont et, en bas, un détail des arches qui soutiennent le Couloir de Vasari.

LE PONTE VECCHIO ET LES PONTS DE FLORENCE

Actuellement il y a dix ponts à Florence mais jusqu'en 1957 il y en avait seulement six, remaniés au cours des siècles et tous, sauf le Ponte Vecchio, reconstruits après les destructions provoquées par les mines allemandes en 1944. Le **Ponte Vecchio** est le plus ancien de la ville non seulement parce qu'il est le seul qui soit resté, dans toute son authenticité, mais aussi parce qu'il se trouve à l'endroit même où avaient été construits les trois ponts qui l'ont précédé: le pont romain, le pont tombé en ruines en 1117 et le pont encore une fois détruit par une crue de l'Arno en 1333. Le pont que nous voyons aujourd'hui est l'œuvre de Neri di Fioravante (1345) qui a créé une structure solide, à trois arches mais très élégante. Sa caractéristique est la présence de maisonnettes sur ses deux côtés; ces édifices, bien alignés, avaient au XIVe siècle un aspect régulier qu'ils ont perdu au cours des siècles à la suite de transformations. Leur variété actuelle est pittoresque. Vers le point central des travées, la suite des édifices s'interrompt pour céder la place à un espace ouvert d'où l'on peut admirer le fleuve et les autres ponts. Au-dessus des constructions serpente le **Couloir de Vasari** que ce dernier a créé pour permettre à Cosme Ier de se rendre tranquillement du Palazzo Vecchio au Palais Pitti. Depuis le XVIe siècle les boutiques du pont sont des ateliers et points de vente réservés aux orfèvres.
Le deuxième pont de Florence était le **Pont Neuf** ou **Pont alla Carraia** (1220) et il a été, lui aussi, reconstruit après

les inondations de 1274 et de 1333. Il a été entièrement refait après son écroulement en 1944. Le troisième pont était le **Pont alle Grazie** (1237), ainsi appelé en raison d'une chapelle de la Vierge des Grâces. Celui que nous voyons date de l'après-guerre. Le quatrième pont est le **Pont Santa Trinita**, chef-d'œuvre d'Ammannati (1567-1570), dont les plans furent approuvés par Michel-Ange. Il remplaça des ponts précédents (le premier datait de 1257) emportés par les crues de l'Arno. Aux deux entrées du pont on peut admirer les statues des Quatre Saisons (placées là en 1608). La structure actuelle est le fruit d'une reconstruction effectuée dans les années cinquante, après les destructions provoquées par la guerre, « comme il était et là où il était ». Les deux autres ponts sont du XIXe siècle: le **Pont San Niccolò** et celui des Cascine rebaptisé **Pont de la Victoire** en 1928. Le septième pont de la série, le **Pont Vespucci**, premier pont moderne, a été inauguré en 1957. En 1969 a été créé le **Pont Giovanni da Verrazzano** et, tout dernièrement, le **Viaduc de l'Indien**, au-delà du parc des Cascine, et le **Viaduc de Varlungo**.

LA TOUR DES MANNELLI

La Tour des Mannelli appartint à la famille du même nom, gibeline à l'origine, qui se sépara par la suite en deux factions, l'une gibeline et l'autre guelfe. Cette construction ne fut pas touchée, par miracle, par les démolitions ordonnées par Cosme Ier lors de la construction du Couloir de Vasari, qui aurait dû la traverser.

A gauche, la Tour des Mannelli; en bas, le Ponte Vecchio et ses magasins. En regard, en haut, le Pont Santa Trinita et le Ponte Vecchio; en bas, le côté du Pont Santa Trinita qui regarde vers l'amont du fleuve.

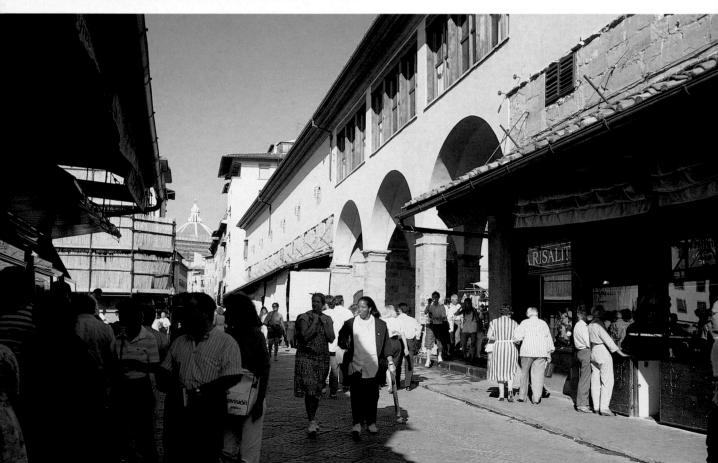

LE PONT ET LA PLACE SANTA TRINITA

Le **Pont Santa Trinita** sur la rive droite de l'Arno, est orné des statues du *Printemps* et de l'*Eté* (ci-contre, en bas, à gauche). Passé le **Palais Ferroni** (ci-contre, en haut) on accède à la **Piazza Santa Trinita** (ci-contre, en bas, à droite) au centre de laquelle s'élève la **Colonne de la Justice**, vestige des thermes de Caracalla, dont le sommet est orné d'une statue de la *Justice*.

LA PLACE DE LA RÉPUBLIQUE

L'espace anciennement réservé au Forum romain, devint au Moyen Age le centre très vivant du Vieux Marché. La place a pris son aspect actuel en style piémontais, lors de la démolition du centre de Florence en 1887. A la place des anciennes tours et des anciennes maisons du ghetto historique où se trouvaient des églises, des boutiques et les étalages du marché, on édifia des immeubles, on créa des cafés et l'on érigea un **Arc** énorme, vers la via Strozzi, en l'honneur, comme la place, du roi Victor-Emmanuel II.

LE PALAIS STROZZI

C'est le palais type de la Renaissance. Benedetto da Maiano en a fait les plans en 1489 et les travaux ont continué jusqu'en 1538, sous la direction de divers maîtres d'œuvre. La partie inférieure, en pierre meulière, est percée de fenêtres rectangulaires et d'un large portail sous une arcade en bossage. La partie supérieure, attribuée à Cronaca, est ornée de deux corniches dentelées d'inspiration classique et est surmontée d'une grande corniche, au sommet de l'édifice.

A droite, le Palais Strozzi; en bas, Place de la République.

L'EGLISE ORSANMICHELE

C'était anciennement une loggia destinée au marché du blé, édifiée en 1290 par Arnolfo di Cambio. Un incendie la détruisit en 1304 et l'on procéda à sa reconstruction en 1337 avec la collaboration de Francesco Talenti, Neri di Fioravante et Neri di Cione. Entre 1380 et 1404 Orsanmichele devint un édifice religieux. La structure est celle d'un grand parallélépipède (dont les arcatures de la *loggia* constituent la base), qu'une décoration en marbre de la fin de l'époque gothique rend très élégant. La partie supérieure est en pierre meulière et comprend deux ordres de grandes fenêtres géminées. A l'extérieur de l'église, dans des niches, des statues célèbres ont trouvé place: *Saint Jean-Baptiste* de Ghiberti (1414-1416), *Saint Thomas* de Verrocchio (1464-1483), les *Quatre saints couronnés* de Nanni di Banco (1408) et une copie du *Saint Georges* de Donatello. A l'intérieur se dresse le grand *Tabernacle d'Orcagna* (1355-1359) en style gothique flamboyant.

Page ci-contre, en haut, la Loggia du Nouveau Marché bâtie au milieu du XVIe siècle par Giovanni Battista del Tasso. Les statues dans les niches des piliers, ajoutées au siècle dernier, représentent des Florentins illustres du passé.

Page ci-contre, en bas, la masse carrée de l'édifice dont le rez-de-chaussée abrite l'église Orsanmichele. Dans cette page, en haut, le tabernacle d'Orcagna et, en bas, l'intérieur de l'église.

En haut, la façade de l'Eglise Sainte-Marie-Nouvelle; à gauche, un des obélisques de la place. Dans la page en regard, deux images de la Chapelle des Espagnols.

L'EGLISE SAINTE-MARIE-NOUVELLE

Deux frères dominicains, Sisto da Firenze et Ristoro da Campi, ont construit cette église à partir de 1246, à l'emplacement où s'élevait l'oratoire dominicain de Sainte-Marie-des-Vignes, du Xe siècle. En 1279 les nefs étaient achevées et, dans la deuxième moitié du XIVe siècle, Jacopo Talenti mit fin à la construction du **Clocher** et de la **Sacristie**. La belle façade est le fruit d'un remaniement de Leon Battista Alberti entre 1456 et 1470 (l'ancienne façade datait du début du XIVe siècle). Il édifia le magnifique portail et toute la partie supérieure, rythmée par des carrés en marqueterie de marbre et délimitée par les voiles héraldiques de la famille Rucellai, qui lui avait commandé ce travail. Deux grandes volutes renversées servent de raccord entre les masses latérales et les masses centrales, rythmées par quatre pilastres et couronnées par un tympan triangulaire. A l'intérieur, des piliers fasciculés soutenant des arcades et des voûtes ogivales séparent les trois nefs.

L'EGLISE SAINTE-MARIE-NOUVELLE

L'INTÉRIEUR

Cette église abrite de nombreuses œuvres des XIVe, XVe et XVIe siècles. Il faut remarquer en particulier le *monument à la bienheureuse Villana*, de Rossellino (1451); le *buste de saint Antonin* (en terre cuite) et le

tombeau de l'évêque de Fiesole de Tino da Camaino; la très belle *pierre tombale de Leonardo Dati,* de Ghiberti (1423); le *tombeau de Filippo Strozzi,* de Benedetto da Maiano (1491); la *Vierge du Rosaire,* de Vasari (1568) et le *Miracle de Jésus* de Bronzino. Le **Chœur** (ou chapelle Tornabuoni) mérite une attention particulière car c'est ici que Ghirlandaio a peint à fresque les *Histoires de saint Jean Baptiste* et les *Histoires de la Vierge* (fin du XVe siècle). Le Crucifix en bronze sur l'autel est de Jean de Boulogne. La **Chapelle Gondi,** œuvre de Giuliano da Sangallo, présente, dans la voûte, des fragments des *fresques* de peintres grecs du XIIIe siècle et, sur le mur du fond, le célèbre *Crucifix* de Brunelleschi. La **Chapelle Strozzi di Mantova** nous montre sur le mur du fond des fresques du *Jugement dernier,* sur le mur de droite l'*Enfer* et sur le mur de gauche le *Paradis* de Nardo di Cione ou d'Orcagna. Par la grille qui se trouve à gauche de la façade on entre dans le **Premier Cloître,** en style roman (1350). On a transporté dans le **Réfectoire** les *Scènes de l'Ancien Testament,* fresques de Paolo Uccello qui ornaient les murs. En traversant le **Petit Cloître des Morts** on parvient dans le **Grand Cloître,** entouré d'arcades, entièrement décoré à fresque par des peintres florentins des XVe et XVIe siècles (on le visite difficilement parce qu'il est affecté à des usages militaires).

LA CHAPELLE DES ESPAGNOLS

On rejoint l'ancienne *Salle du Chapitre* du couvent par un portail ouvert sur le côté nord du **Premier Cloître** (Cloître Vert). C'est l'œuvre de Jacopo Talenti (1359). Eléonore de Tolède, épouse de Cosme Ier, en fit un espace privilégié

Dans la page en regard, en haut, le cloître entouré d'arcades sur le côté de Sainte-Marie-Nouvelle; en bas, le Grand Cloître. Dans cette page, deux raccourcis de la Chapelle des Espagnols.

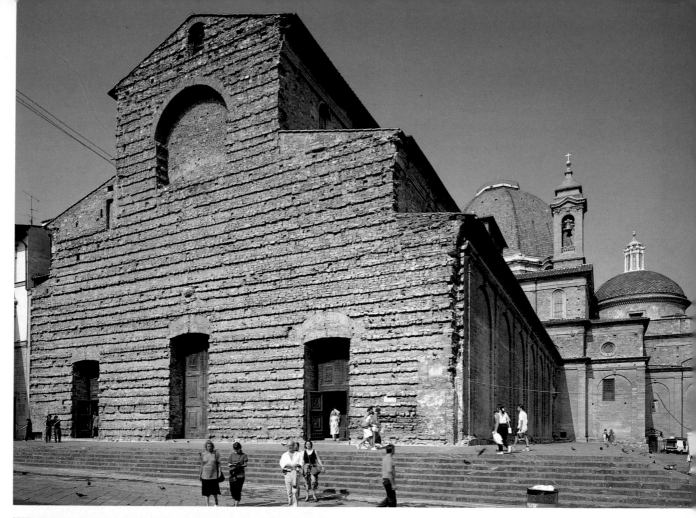

En haut, la façade de l'Eglise San Lorenzo; à gauche, le Cloître; en regard, en haut, l'intérieur de l'église et, en bas, un des deux chaires en bronze de Donatello.

pour les offices religieux auxquels assistait sa suite. La chapelle est entièrement couverte de fresques d'Andrea di Buonaiuto (moitié du XIVe siècle) et les scènes s'inspirent du *Miroir de la vraie pénitence* de Jacopo Passavanti, prieur, qui a écrit cette apologie de la règle dominicaine.

L'EGLISE SAN LORENZO

C'est l'église la plus ancienne de la ville car elle a été consacrée par saint Ambroise en 393. En 1060 elle a été reconstruite en style roman. Les structures actuelles remontent à 1423 et sont l'œuvre de Brunelleschi. La façade, magnifique et émouvante dans sa nudité, n'a pas reçu le revêtement de marbre prévu par Michel-Ange. A l'intérieur il faut admirer notamment les deux *Chaires en bronze* de Donatello et sa *tribune*. L'**Ancienne Sacristie** est la première réalisation de Brunelleschi (1419-1428).

LES CHAPELLES MEDICÉENNES

Ce vaste édifice abritant les tombeaux de la famille de Médicis s'élève à l'arrière de l'église San Lorenzo dont il utilise les souterrains et plusieurs salles. On accède d'abord à une ample salle, basse de plafond, imaginée par Buontalenti où se trouve la *tombe de Cosme l'Ancien*, la *tombe de Donatello*, les *tombes des Lorraine* et d'autres grands-ducs. On monte ensuite à la grande **Chapelle des Princes** conçue et réalisée en partie par Nigetti (avec des interventions de Buontalenti) à partir de 1602 et achevée au XVIIIᵉ siècle. L'intérieur affecte un plan octogonal, et est entièrement revêtu de marbre et de pierres dures dans le goût baroque. Au-dessus de la plinthe, ornée des *armes de seize villes* de la Toscane grand-ducale, se trouvent les *six sarcophages* des grand-ducs *Cosme III, François Iᵉʳ, Cosme Iᵉʳ, Ferdinand Iᵉʳ, Cosme II,* et *Ferdinand II*; deux de ces sarcophages sont surmontés par des *statues* du gisant, œuvres de Tacca. Un couloir relie la chapelle des Princes à la **Nouvelle Sacristie**.

A gauche, la coupole de la Chapelle des Princes; en bas, un raccourci de l'animé Borgo San Lorenzo. En regard, en haut, l'intérieur de la coupole de la Chapelle des Princes et, en bas, l'autel.

LA NOUVELLE SACRISTIE

Près du transept droit de la **Basilique San Lorenzo** se trouve la **Nouvelle Sacristie**, à laquelle on a accès à partir des **Chapelles Médicis**. C'est une réalisation de Michel-Ange (1520) qui bouleverse le savant équilibre de l'espace selon Brunelleschi par l'impulsion dynamique de la décoration. Il est l'auteur des *tombeaux des Médicis*, de *Julien*, duc de Nemours, et de *Laurent*, duc d'Urbin. Sur la tombe du premier veillent le *Jour* et la *Nuit;* sur celle du second le *Crépuscule* et l'*Aurore*.

Dans cette page, les trois armes marquetées de Florence, Pise et Sienne qui décorent les parois de la Chapelle des Princes. Dans la page en regard, quelques détails des œuvres de Michel-Ange dans la Nouvelle Sacristie; en haut, à gauche, le Tombeau de Julien, duc de Nemours; à droite, le Tombeau de Laurent, duc d'Urbin; en bas, la Vierge à l'Enfant entre les saints Côme et Damien.

Dans les deux pages suivantes on voit, en haut, la Nuit et le Jour et, en bas, le Crépuscule et l'Aurore, des œuvres de Michel-Ange placées sur les tombeaux des deux ducs de Médicis.

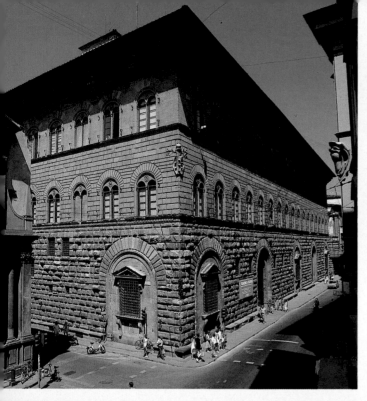

LE PALAIS MÉDICIS-RICCARDI

C'est le Palais que Cosme l'Ancien fit
construire pour lui et pour sa famille.
Œuvre de Michelozzo (1444-1464),
c'est le modèle de la demeure d'un
seigneur de la Renaissance. En 1517
on mura la loggia ouverte au rez-de-
chaussée et on ajouta les *fenêtres*
munies de tympans que l'on attribue
à Michel Ange. En 1655 les Riccardi
achetèrent cet édifice; ils élargirent la
façade et le corps de bâtiment
intérieur, s'éloignant du projet initial.
Les façades extérieures du Palais vont
du bossage rustique de l'étage
inférieur aux surfaces progressivement
plus lisses des étages supérieurs
(bossage lisse et plaques plates bien
jointes). Les fenêtres sont géminées et
la petite colonne centrale est
surmontée d'un médaillon. Tout en
haut le palais est couronné d'une
corniche en rebord d'inspiration
classique. Le Palais, qui fut celui de
Laurent de Médicis, est aujourd'hui
le siège de la Préfecture. Dans la
chapelle (qui est elle aussi de
Michelozzo) Benozzo Gozzoli a
peint une fresque célèbre, le *Voyage
des Mages à Bethléem,* entre 1459 et
1460. Il y a représenté les
personnages qui ont participé au
Concile de Florence en 1439 (on
reconnaît Jean VII, Laurent, Pierre le
Goutteux et ses filles, Galeazzo
Maria Sforza, Sigismond Malatesta
ainsi que Benozzo et son maître, Fra
Angelico). La **Cour** du Palais mérite
qu'on s'y arrête: un ordre de fenêtres
géminées et une loggia se trouvent
au-dessus du portique; la décoration
comprend aussi des *graffiti* du XV e
siècle de Maso di Bartolomeo et des
médaillons de Bertoldo.

*En regard, en haut et à gauche, le Palais
Médicis-Riccardi; à droite, la Salle de Luca
Giordano; en bas et dans cette page,
quelques détails de la Chapelle du palais
avec les fresques de Benozzo Gozzoli
représentant le Voyage à Bethléem.*

En haut, l'Hôpital des Innocents et la statue équestre de Ferdinand I er de Médicis. En bas, à gauche, une des Fontaines de Tacca.

LA PLACE DE LA SANTISSIMA ANNUNZIATA

En sortant de l'**Eglise de la Santissima Annunziata** on peut voir, à gauche, l'ensemble de l'**Hôpital des Innocents** (Brunelleschi a fait le plan et F. Luna a achevé la construction en 1445). La façade comprend un portique très élégant avec neuf arcades décorées de terres cuites polychromes qui représentent des *Enfants emmaillotés* (l'hôpital accueillait les enfants abandonnés). Elles sont d'Andrea Della Robbia (1463). Une très belle **Cour** s'ouvre à l'intérieur. Au premier étage on a aménagé la **Collection de fresques détachées** et la **Galerie de l'Hôpital**. Face à l'hôpital se trouve le **Portique de la Confrérie des Servites** qui est une imitation du premier. Il est de Sangallo l'Ancien et de Baccio d'Agnolo (1516-1525). Au centre de la place se dresse la *Statue équestre de Ferdinand I er de Médicis*. C'est la jumelle de celle de Cosme I er, place de la Seigneurie; son auteur est également Jean de Boulogne mais elle a été achevée par Tacca (1608). De Tacca sont aussi les deux *Fontaines* placées de chaque côté, en parfaite symétrie. Elles remontent à 1629 et étaient destinées au port de Livourne. Dans le goût du XVII e siècle, elles nous présentent des monstres marins et des images grotesques d'un bon niveau artistique (le dessin est de Bernardino Radi).

En haut, la façade de l'Eglise Santissima Annunziata; à droite, le Cloître des Vœux à l'intérieur.

L'EGLISE SANTISSIMA ANNUNZIATA

A l'origine c'était l'oratoire de l'Ordre des Servites, bâti hors des murs de la deuxième enceinte (1250). L'aspect actuel de l'église est celui qui lui a été donné par Michelozzo, Pagno Portinari et Antonio Manetti (suivant les conseils de L. B. Alberti) entre 1444 et 1481. Le portique de la façade présente des colonnes corinthiennes. Le portail central mène au **Petit Cloître des Vœux** (1447), espace nettement scénographique avec panneaux peints à fresque par le Rosso, Pontormo et Andrea del Sarto (1511/1513). L'intérieur de l'église a été remanié vers la moitié du XVIIe siècle. Il comprend une seule nef flanquée de chapelles à arcades. Il faut remarquer le magnifique *plafond* à caissons de Volterrano (1664). Par une porte s'ouvrant dans le transept, à gauche, on entre dans le **Cloître des Morts** (1453) orné de fresques par Poccetti.

*En haut, le détail de la tête du David de Michel-Ange; en regard,
la sculpture de Michel-Ange dans la Tribune de l'Académie.*

LES GALERIES DE L'ACADÉMIE

La Galerie abrite une collection très importante d'œuvres
de Michel-Ange. Dans la pièce qui mène à la Tribune et
qui est ornée de tapisseries, ont été placés la « Pietà » de
Palestrina, dont l'attribution à Michel-Ange n'est pas
universellement admise, *Saint-Matthieu*, destiné à la
cathédrale de Florence et les *quatre Captifs* destinés au
tombeau de Jules II en l'Eglise de Saint-Pierre-aux-liens, de
Rome; ces cinq sculptures sont restées inachevées, comme
si elles voulaient s'arracher à l'étreinte du marbre.
Dans la spacieuse **Tribune** est placé le *David* original de
Michel-Ange qui fut commandé à cet artiste dans le but de
remplacer la *Judith* de Donatello. Dans une salle voisine
ont été réunies des *peintures d'école toscane* du XIIIᵉ et

du XIVᵉ siècle.
A droite de la Tribune, dans trois petites salles on peut
admirer de nombreux *tabernacles* attribués à Bernardo
Daddi et une belle *Pietà* de Giovanni da Milano. A
gauche s'ouvrent trois petites salles qui contiennent des
œuvres du XIVᵉ siècle dont un *Polyptyque* d'Andrea
Orcagna et deux séries de panneaux représentant des
Scènes de la vie du Christ et des *Scènes de la vie de saint
François,* toutes deux de Taddeo Gaddi.
A gauche de la Tribune il y a encore une grande salle où
l'on trouve des œuvres du XVᵉ siècle florentin. Parmi
elles: une *Annonciation* de Lorenzo Monaco, *Saint Jean
Baptiste et Marie Madeleine* de Filippino Lippi, la *Vierge
de la mer* dont l'attribution est incertaine (on hésite entre
Botticelli et Filippino Lippi) et un *Devant de coffre* dit
« des noces Adimari », d'auteur inconnu du XVᵉ siècle.

En regard, en haut, trois Captifs de Michel-Ange; en bas, de
gauche à droite, un Captif, Saint-Mathieu et la « Pietà »
de Palestrina.

En haut, la salle de la Galerie de l'Académie avec l'Enlèvement
des Sabines de Jean de Boulogne; à droite l'Assomption
et des Saints de Pérugin.

A gauche, un tableau du XIVᵉ siècle représentant la Vierge à l'Enfant; à droite, la Vierge de la Mer de Botticelli; en bas, le Devant de Coffre dit « des noces d'Adimari ».

En regard, en haut, le Cloître de Saint-Marc; en bas la Salle de l'Ospice avec des œuvres de Beato Angelico.

LE COUVENT
ET L'EGLISE SAINT-MARC

En 1437 Cosme l'Ancien donna ordre à Michelozzo de rénover le **Couvent** et ce fut le premier édifice conventuel de Florence qui prit la forme élégante d'un édifice de la Renaissance. Le beau **Cloître** est en pierres bordées de briques. Au premier étage, Poccetti, Rosselli, Coccapani, Vanni, Cerrini, Dandini et d'autres illustres artistes ont peint les lunettes. L'entrée principale du Couvent est à la droite de l'**Eglise Saint-Marc**. Celle-ci a été restaurée en 1437 par Michelozzo et remaniée plus tard d'abord par Jean de Boulogne (1580) puis par Silvani (1678); la façade a été refaite entre 1777 et 1780 par Gioacchino Pronti. L'intérieur est sévère; il faut remarquer le *plafond* marqueté et doré. La **Sacristie** est intéressante: elle abrite le sarcophage, avec statue en bronze, de *saint Antonin* (1608). La **Chapelle de Saint-Antonin** a été décorée par Jean de Boulogne, Francavilla et Alessandro Allori; les *fresques* de la coupole sont de Poccetti. De tous ces édifices

religieux c'est sans aucun doute le Couvent qui constitue le pôle d'attraction. Ainsi qu'on le sait, dans ses murs a vécu et travaillé un artiste exceptionnel: Fra Angelico. La plupart des fresques du **Cloître** sont de lui (le *Crucifix avec saint Dominique* et la lunette au-dessus d'une porte où il a peint *Saint Pierre Martyr* sont remarquables). Du même auteur: le saint Dominique dans la lunette de la **Salle du Chapitre**, où se trouve le merveilleux *Crucifiement*, une *Pietà* au-dessus de la porte du **Réfectoire**, *Jésus vêtu en pèlerin*, au-dessus de la porte de l'**Hospice** et, à l'intérieur, la *Vierge de l'Art de la Laine*, le *Jugement dernier*, les *Histoires de Jésus*, la *Déposition*. En partant du **Réfectoire**, où l'on peut admirer une grande fresque de Sogliani (1536) qui représente le *Crucifiement* et la *Providence*, un escalier mène à l'étage supérieur où l'on se trouve face à l'*Annonciation* de Fra Angelico. Dans le couloir, à droite, se trouve l'accès à la merveilleuse **Bibliothèque** de Michelozzo et, au fond, l'entrée à la **Cellule de Cosme**. Dans le couloir de gauche on peut voir la *Vierge en majesté avec des Saints* et, dans les cellules qui s'ouvrent le long de ce couloir, d'autres chefs-d'œuvre de cet artiste: l'*Annonciation*, la *Transfiguration*, *Jésus dans le Prétoire*, les *Saintes Femmes au Tombeau*, le *Couronnement de la Vierge* et la *Présentation au Temple*. A l'extrémité du couloir on passe dans la **Cellule de Savonarole** (le *portrait du prédicateur* est de Fra Bartolommeo). Par un escalier, à droite, on entre dans le **Petit Réfectoire** où Domenico Ghirlandaio a peint une *Cène* (qui est une variante de celle d'Ognissanti, plus célèbre). Derrière l'église, à l'intérieur du Couvent, se trouve le **Cloître de Saint Dominique**.

En regard, le Réfectoire de Saint-Marc avec la fresque du
Crucifiement et de la Providence de Sogliani; en haut, le
Crucifiement de Beato Angelico; en bas, le Jugement Dernier de
Beato Angelico.

LE MUSÉE ARCHÉOLOGIQUE

La richesse de ses collections d'art égyptien, étrusque, grec et romain en fait l'un des plus importants musées d'Italie. Son siège est le **Palais de la Crocetta**. Le noyau central du musée remonte aux collections privées des Médicis et des Grands-Ducs; la section égyptienne a été créée en 1824. C'est là qu'on trouve la *Déesse Hator allaitant le Pharaon*, le bas-relief polychrome de la *Déesse Hator avec le pharaon Sethos I er* et le bas-relief de *Maat, déesse de la vérité.* Parmi les collections de vases et de terres cuites de l'Antiquarium gréco-romain, se détache le *Vase François*. C'est une céramique grecque très célèbre, du VI e siècle av. J.-C., découverte dans une tombe étrusque. Ce cratère, qui est sans doute un don de noces, est de Klitias et provient de l'atelier athénien d'Ergotimo. Il est connu sous le nom de celui qui l'a trouvé à Fonte Rutella (Chiusi) en 1845, l'archéologue Alessandro François. Ce vase, à figures noires, présente des scènes du cycle héroïque et mythologique. Dans la section gréco-romaine il faut remarquer la statue en bronze dite la *Petite idole* (école attico-péloponnésienne du V e siècle av. J.-C.). La collection d'art étrusque est vraiment importante. Elle réunit des pièces recueillies en plus de trois siècles de recherches. On trouve ici un grand nombre de sarcophages, d'urnes cinéraires, de bronzes, d'armes et d'objets d'usage quotidien. Parmi les sculptures, une s'impose à notre attention, celle de l'*Orateur;* elle représente Aulus Metellus et a été trouvée près du lac Trasimène (œuvre funéraire du III e siècle). On remarque aussi la *Chimère blessée par Bellérophon,* bronze du V e siècle av. J.-C. avec corps de lion et tête de bélier (la queue en forme de serpent n'appartient pas à l'original), découvert à Arezzo en 1555.

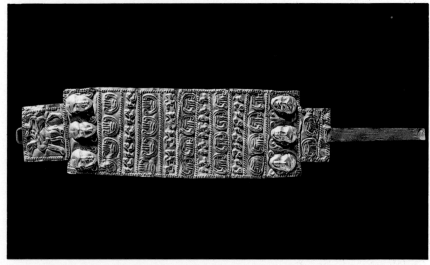

Dans la page en regard, en haut, la
Chimère d'Arezzo; en bas, une épingle
étrusque en or provenant de Vetulonia.
Dans cette page, en haut, le Vase François
trouvé à Chiusi; en bas, un bracelet en or
qui provient de Vetulonia.

Dans cette page, en haut à gauche, le Palais Davanzati avec sa loggia typique. A droite, le Palais de la Corporation des Lainiers. En bas à gauche, le Palais Pandolfini, Via San Gallo; à droite, le Palais Cocchi, Piazza Santa Croce. Page ci-contre, en haut, le Palais du Parti Guelfe et le Palais Antinori; en bas, le Palais Rucellai.

LA SYNAGOGUE

Le Temple israélite, dans un style oriental imitant le style byzantin, est l'œuvre de quatre architectes, Falcini, Treves, Micheli et Cioni (1874). Après avoir été couvert par une grande coupole revêtue de cuivre, il a été inauguré au mois d'octobre 1882. C'est une construction intéressante tant pour les fresques raffinées et les mosaïques qui l'agrémentent, à l'extérieur comme à l'intérieur, que pour sa valeur culturelle et historique. C'est le symbole de la libération du ghetto.

L'ESPLANADE MICHEL-ANGE

On y arrive en parcourant le **Viale dei Colli** qui se déroule sur environ six kilomètres sur le versant de la colline au sud de la ville. Le boulevard et l'esplanade furent conçus par l'architecte Giuseppe Poggi en 1868. Cette grande terrasse s'ouvrant sur Florence est embellie par un groupe de sculptures, répliques en bronze d'œuvres de Michel-Ange: le **David** et les quatre **allégories** ornant les tombeaux des Médicis dans la Nouvelle Sacristie de San Lorenzo.

LA FORTERESSE DU BELVÉDÈRE

Erigée par Ferdinand Ier de Médicis sur une colline dominant la ville dans un but de défense, cette forteresse est l'œuvre de Buontalenti (1590-1595). Restaurée à une date récente, elle est maintenant dévolue à des expositions d'importance internationale. Elle offre l'une des vues panoramiques les plus suggestives de la ville.

Ci-dessus, vue panoramique de Florence
de l'Esplanade Michel-Ange; à gauche, la
colline avec le Fort du Belvédère. Page ci-
contre, deux raccourcis des plus
importants monuments de la ville et du
centre, du Viale dei Colli.

En haut, la façade de l'Eglise San Miniato al Monte; à gauche, la Chapelle du Crucifix de Michelozzo et, en regard, l'intérieur de l'église.

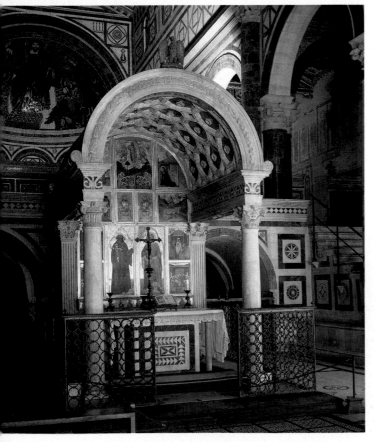

L'EGLISE SAN MINIATO AL MONTE

Aux environs du IVe siècle c'était une chapelle. L'évêque Hildebrand décida d'ériger l'église en 1018. De belles arcatures décorent la partie inférieure de la façade; la partie supérieure est plus simple et présente une belle mosaïque du XIIe siècle où l'on voit le *Christ entre la Vierge et saint Miniato.* L'église, avec son **Clocher** du XVIe siècle inachevé et endommagé pendant le siège de Florence en 1530, le **Palais des Evêques**, les **fortifications** et le **Cimetière monumental** sont groupés au sommet d'une colline dite Monte alle Croci, qui domine l'esplanade Michel-Ange et toute la ville.
L'**intérieur** de l'église est un magnifique exemple d'architecture romane florentine (l'édifice appartenait à l'origine aux moniales bénédictines et devint propriété des moines olivétains en 1373). Les trois nefs sont couvertes par un toit en chevrons. Il faut remarquer le pavement central en marqueterie de marbre, orné des *signes du zodiaque* et d'*animaux symboliques.* Sur les murs on aperçoit des restes de fresques des XIIIe et XIVe siècles. La **Crypte**, très vaste, est fermée par une grille en fer forgé, très élaborée (1338). L'autel (XIe siècle) abrite les ossements de saint Miniato; sur les voûtes il reste des fragments de fresques de Taddeo Gaddi (1341). Le **Chœur** surélevé est splendide avec la belle *chaire* (1207) et les *stalles* en bois marqueté. Dans la cuvette de l'abside, une grande mosaïque représente le *Christ bénissant entre la*

En haut, la moïsaque avec le Christ dans la cuvette de l'absyde de San Miniato; en bas, la Crypte; en regard, deux images des fresques à l'intérieur de la Sacristie.

Vierge et des saints (1297). A droite du chœur se trouve l'entrée de la **Sacristie**, couverte de fresques de Spinello Aretino (1387) représentant les Histoires de la légende de saint Benoît. En descendant par le côté gauche du chœur on rejoint la **Chapelle Saint-Jacques**, dite aussi « du Cardinal du Portugal », dessinée par Antonio Manetti et décorée par Luca Della Robbia qui a représenté ici, dans cinq magnifiques médaillons, le Saint-Esprit et les Vertus cardinales (1461-1466). Le monument funéraire du pontife est une belle réalisation d'Antonio Rossellino (1461). Au centre de l'église se dresse la **Chapelle du Crucifix**, dessinée par Michelozzo. La belle voûte, émaillée est de Luca Della Robbia.

A droite de l'église on voit le **Palais des Evêques** (1295-1320), ancienne résidence d'été des évêques de Florence, puis couvent, lazaret et résidence des Jésuites.

LE PALAIS PITTI

Le plus grandiose des palais florentins remonte à 1487 et c'est probablement Brunelleschi qui en fit le plan. Au XVIe siècle Ammannati l'agrandit. Un bossage rustique formé par des blocs énormes revêt la façade (205 m de long par 36 de haut). Des têtes de lions couronnés, placées entre les rebords des fenêtres au rez-de-chaussée, constituent le seul élément de décoration. Les deux ailes avancées datent de l'époque des Lorraine. Par le grand portail en arcade, on passe dans l'entrée et, de là, dans la **Cour** d'Ammannati qui se trouve à un niveau inférieur par rapport à la colline de Boboli qui, avec les jardins, forme la toile de fond de l'édifice. Au premier étage on peut voir les **Appartements royaux** et la **Galerie Palatine**; au deuxième étage la **Galerie d'Art Moderne**.

LE JARDIN DE BOBOLI

Son histoire remonte à plus de quatre siècles: il a été dessiné en 1549 par Niccolò Pericoli, dit le Tribolo, sur ordre de Cosme Ier. Ammannati, Buontalenti et Parigi le Jeune poursuivirent son œuvre. Il faut remarquer: la **Grotte de Buontalenti** (1583); l'**Amphithéâtre** et sa *vasque romaine* ayant en son centre un *obélisque égyptien;* le **Vivier de Neptune** avec la statue en bronze du dieu de la mer; la statue de l'*Abondance* de Jean de Boulogne et de Tacca (1563); le **Pavillon grand-ducal**; le **Jardin du Cavalier**; la **Fontaine de l'Océan**, de Parigi (1618).

Dans cette page, Palais Pitti et la place d'en face. En regard, en haut, la Fontaine du Bacchino et la Fontaine de Neptune dans le Jardin de Boboli; en bas, le derrière de Palais Pitti.

En regard, en haut, la Salle de Saturne et, en bas, la Salle des Niches dans Palais Pitti; ci-desssus, la Vierge à la Chaise de Raphaël dans la Galerie Palatine.

LA GALERIE PALATINE

La Galerie Palatine, deuxième musée de Florence en ordre d'importance et d'étendue après les Offices, conserve des œuvres d'une grande valeur artistique. Construite sur ordre de Ferdinand II de Médicis, elle fut décorée par Pierre de Cortone. Les collections, reflétant l'aménagement typique d'une galerie de peinture du XVIIe siècle, avec les parois entièrement tapissées d'œuvres d'art, se sont agrandies avec le temps, en particulier à l'époque du cardinal Léopold de Médicis, des derniers descendants de cette famille et, par la suite, au temps des Lorraine. La galerie comporte de nombreux salons nommés d'après les divinités et les personnages mythologiques figurant dans les décorations.

En haut à gauche, la Vierge du Grand-Duc de Raphaël; à droite, la Vierge et quatre Saints d'Andrea del Sarto; à gauche la Vierge de l'« Impannata » (châssis de fenêtre) de Raphaël.

La Voilée de Raphaël.

Dans la page en regard, en haut à
gauche, la « *Gravida* » *(Enceinte) et, à
droite, le Portrait de Maddalena Doni de
Raphaël; en bas, la Vierge à l'Enfant de
Philippe Lippi.*

A droite, les Quatre Philosophes et, en
bas, les Conséquences de la Guerre,
de Rubens.

En haut, à gauche, la Vision d'Ezéchiel de Raphaël; à droite, l'Assomption avec Apôtres et des Saints d'Andrea del Sarto; à gauche, la Sainte Famille d'Andrea del Sarto. Dans la page en regard, les deux tableaux avec les Histoires de Saint Joseph d'Andrea del Sarto.

LA CÈNE DE GHIRLANDAIO

Près de l'**Eglise d'Ognissanti** (construite en 1256 mais très remaniée au XVIIᵉ siècle), après avoir traversé le **Cloître** de Michelozzo, on entre dans le **Réfectoire** du couvent où Domenico Ghirlandaio a peint l'un de ses chefs-d'œuvre: la *Cène* (1480). Les innovations dans les attitudes des Apôtres et surtout la présence d'un paysage délicat et serein en guise de toile de fond ont sans doute influencé Léonard de Vinci, qui vit cette Cène deux ans avant de quitter Florence.

L'EGLISE DE CESTELLO

L'Eglise Saint-Frediano-à-Cestello, est un des rares exemples de style baroque à Florence bien que sa façade n'ait jamais été achevée. Elle a été édifiée entre 1680 et 1689 par Antonio Maria Ferri (d'après les plans de Cerutti, architecte romain) qui est également l'auteur de la coupole sur tambour. A l'intérieur on peut voir une belle *fresque* de Gabbiani (1701-1718) décorant la coupole. Le nom de Cestello (panier) est probablement lié à la présence du Grenier de Cosme III qui se trouve sur le côté est de la place.

L'EGLISE SANTO SPIRITO

Brunelleschi a conçu l'Eglise Santo Spirito comme la sœur jumelle de l'Eglise San Lorenzo. Mais la façade n'a toujours pas été complétée. La **Coupole** est de Brunelleschi et le **Clocher** de Baccio d'Agnolo (1503). L'intérieur constitue l'un des plus parfaits exemples d'architecture de la Renaissance.

A gauche, l'Eglise d'Ognissanti, en bas, la Cène de Ghirlandaio dans le Réfectoire annexe à l'église. En regard, en haut, l'Eglise Saint-Frediano-à-Cestello et, en bas, l'Eglise Santo Spirito.

L'EGLISE DU CARMINE

L'Eglise du Carmine, dédiée à la Vierge du Carmel, est un édifice construit au XIVe siècle, presque entièrement détruit au cours d'un incendie en 1771. A l'intérieur, dans le transept et à droite, la **Chapelle Brancacci** abrite un cycle de fresques peintes entre 1425 et 1428 par Masolino et, surtout, par Masaccio (la *Tentation d'Adam* est due au premier; *Adam et Eve chassés du Paradis* au second, de même qu'une série de scènes de la vie de saint Pierre dont le célèbre *Tribut au publicain*). Filippino Lippi acheva l'œuvre de ces grands peintres.

LA CHAPELLE BRANCACCI: LES RESTAURATIONS

La chapelle conserve le cycle de fresques le plus exaltant de l'art occidental auquel Masaccio, assisté de Masolino, travailla de 1425 à 1427. Les travaux furent repris par Filippino Lippi qui acheva les *Episodes* un demi-siècle plus tard. Les récentes restaurations (1984-1988) ont éliminé toutes les interventions postérieures, permettant ainsi de récupérer l'extraordinaire dimension originale où forme, couleur et lumière se fondent en une harmonie d'une grande efficacité, comme nous pouvons le constater dans ces deux détails tirés du *Tribut à César* de Masaccio et de la *Résurrection de Tabita* de Masolino.

A gauche, la façade de l'Eglise du Carmine; en bas, à gauche, la nef de l'église et, à droite, la coupole décorée de fresques.

En regard, quelques images des fresques de la Chapelle Brancacci, auxquelles une restauration méticuleuse a rédonné la splendeur originale.

123

En haut, la façade de l'Eglise Santa Trinita;
à gauche, l'Adoration des Bergers de
Ghirlandaio.

L'EGLISE SANTA TRINITA

L'édifice est du XIe siècle mais il a
été reconstruit et agrandi aux XIIIe et
XIVe siècles. La façade, très simple,
est ornée d'un *mascaron* en pierre de
Buontalenti (1593). C'est une des
églises les plus connues de Florence,
en raison aussi de sa situation, entre
la via Tornabuoni et le pont Santa
Trinita. D'après la tradition, Andrea
Pisano serait l'auteur du projet
tendant à transformer cet ancien
couvent vallombrosain. L'intérieur de
l'église est simple et sévère. On peut
y voir de nombreuses œuvres d'art:
une *Vierge et des Saints* de Neri di
Bicci (1491), l'*Annonciation* de
Lorenzo Monaco (1425) et
l'*Adoration des Bergers* de
Ghirlandaio (1485). Ce peintre est
également l'auteur des fresques de la
Chapelle Sassetti (1483-1486). Les
tombeaux de cette famille sont de
Giuliano da Sangallo. Dans la
deuxième chapelle à gauche du
maître-autel se trouve le magnifique
tombeau en marbre de Benozzo
Federici, réalisation de Luca Della
Robbia (1454-1456).

AUTRES ÉGLISES

Dans les images, à partir d'en haut, l'**Eglise San Salvatore al Vescovo**, érigée après l'an Mille, avec une façade romane à arcades aveugles; l'**Eglise de la Badia**, érigée en 978, dont le portail, de Benedetto da Rovezzano, (1495), est sommé d'une lunette du XVIe siècle; l'**Eglise San Carlo dei Lombardi**, édifiée entre le XIVe et le XVe siècle par Benci di Cione, Neri di Fioravante et Simone Talenti. En bas, l'**Eglise San Salvi**, d'abord abbaye en 1048 et plusieurs fois remaniée; l'**Eglise Santi Apostoli**, du XIe siècle, remaniée au XIIIe, possédant une façade romane et un intérieur suggestif; enfin l'**Eglise San Gaetano** dont la façade est un remaniement du XVIIe siècle, dû à Gherardo Silvani.

SOMMAIRE

Dans la page en regard, en haut, une vue des deux hauteurs de Fiesole; en bas, la Place Mino da Fiesole. Dans cette page, en haut, l'Eglise San Francesco et, à droite, le Théâtre romain.

FIESOLE

Jadis cité étrusque, Fiesole est juchée sur une colline dominant Florence. Le centre se développe autour de la belle **Place Mino da Fiesole** sur laquelle donne l'imposante masse de la **Cathédrale San Romolo** fondée au XIe siècle. A l'intérieur on peut admirer la remarquable *chapelle Salutati* ornée de fresques de Cosimo Rosselli, du XVe siècle, et le *tombeau de l'évêque Salutati*, œuvre de Mino da Fiesole. Face à la cathédrale se dresse le **Palais épiscopal** et, de l'autre côté, l'ancienne **Eglise Santa Maria Primerana**.

A partir de cette place on monte à l'**Eglise** et au **Couvent San Francesco**, qui abrite le **Musée ethnographique des missions** renfermant une importante collection d'objets étrusques. Toujours de cette place on rejoint le **Musée archéologique** et le **Théâtre romain**, bâti au Ier siècle av. J.-C., où l'on organise de nombreux spectacles de théâtre et de cinéma. Non loin se trouvent les **Thermes** romains et le **Temple** étrusco-romain. Il faut mentionner également le **Musée Bandini**, qui conserve des œuvres de peinture et de sculpture du XIIIe au XVe siècle, et la **Basilique** paléochrétienne **Sant'Alessandro**.